DeDicaDo a ToDoS
LoS pequeños
aToRRaNTeS
que noS haceN ReíR.

DIRECCIÓN DE ARTE: Trini Vergara
DISEÑO: Raquel Cané
ILUSTRACIONES: Bruno Ferrari
EDICIÓN: Cristina Alemany

© 2007 Aníbal Litvin-Mario Kostzer
© 2007 V&R Editoras S.A.
www.libroregalo.com

Argentina: Demaría 4412 (C1425AEB) Buenos Aires
Tel./Fax: (54-11) 4778-9444 y rotativas
e-mail: editoras@libroregalo.com

México: Av. Tamaulipas 145 - Colonia Hipódromo Condesa
CP 06170, Delegación Cuauhtémoc - México D. F.
Tel./Fax: (5255) 5220-6620/6621 • 01800-543-4995
e-mail: editoras@vergarariba.com.mx

ISBN: 978-987-612-033-3

Impreso en Argentina por Casano Gráfica S.A.

Litvin, Aníbal
Chistes del pequeño atorrante / Aníbal Litvin y Mario Kostzer;
ilustrado por Bruno Ferrari
1ª ed. - Ciudad Autónoma de Buenos Aires: V&R, 2007.
80 p.: il.; 16 x 22 cm.

ISBN 978-987-612-033-3

1. Humor Infantil y Juvenil Argentino.
I. Kostzer, Mario II. Ferrari, Bruno, ilus. III. Título
CDD A867.9282

ANÍBAL LITVIN - MARIO KOSTZER

Chistes
del pequeño
ATORRANTE

V&R
EDITORAS

Agustín: La estuvimos ayudando a mamá.
Papá: ¡Qué bien! ¿Qué hicieron?
Joaquín: Yo lavé los platos.
Emanuel: Yo los sequé.
Agustín: Y yo, con la pala y la escoba, ¡junté los pedazos!

-Mamá, en el barrio me llaman *cabezón*...
-No les hagas caso, hijo...
-¡Ay, me pica la cabeza! ¿Me rascás?
-A ver, nene... ¿en qué kilómetro?

-Papá, ¿me comprás una batería?
-No, vas a hacer mucho ruido y no voy a poder trabajar tranquilo.
-No te preocupes, ¡toco cuando estés durmiendo!

La madre le dice al hijo:
-¡Qué desastre! ¡Volviste a pelearte en el colegio y perdiste dos dientes!
-No los perdí, mamá. ¡Los tengo en el bolsillo!

-Mamá, ¿por qué sacudís al bebé?
-Porque me olvidé de sacudir el jarabe...

El nene le dice al farmacéutico:
-Señor, dice mi mamá que le envíe cinco rollos de gasa.
-¿Se lastimó?
-No, si se va a disfrazar de momia...

-Mi hermano canta tan bien y tiene tanto oído para la música, que ahora dirige un coro de gallinas.
-¿Y cómo se llama el coro?
-El *"coro-cocó"*.

Caso insólito... insólito por lo estúpido:
era un hombre tan bien educado,
¡que se miraba al espejo y se saludaba!

Una madre le dice a la otra:
-Señora, su hijo le sacó la lengua al mío.
-Bueno, son cosas de chicos.
-Sí, ¡pero la lengua no aparece por ningún lado!

-Doctor, ¡hace dos meses que mi hijo cree
 que es una bicicleta!
-Tráigalo, así lo reviso.
-Genial, doctor. ¡Lo inflo y vuelvo enseguida!

-Doctor, ¡un perro me mordió la pierna!
-¿Se puso algo?
-No, parece que al perro le gustó así.

Primer acto: sale un "pavo" con un cuchillo.
Segundo acto: sale otro "pavo" con una pistola de rayos láser.
Tercer acto: sale otro "pavo" con una espada.
¿Cómo se llama la obra?
Los *pavos rangers*.

Un hombre se está bañando en el mar
y le pregunta al guardavidas:
-¿Hay aguasvivas en este lugar?
-No, quédese tranquilo:
¡las espantan los tiburones!

Martín
visita templos
y Enrique, Iglesias.

¡CUÁC!

-Querida, mientras vos
no estabas, ¡se cayeron
el nene y el talco!
-¿Y qué pasó?
-El talco ensució el piso,
¡y el nene se hizo polvo!

-Papá, ¿puedo ver la tele?
-Sí, pero no la enciendas
porque gasta electricidad.

El papá le dice a un amigo:

-Hoy mi hijo cumple años
y le voy a dar una gran sorpresa.
-¿Cuál?
-Él espera que yo le regale la Play
y en realidad, le compré un par de medias.

Jonathan: ¡Vendí mi bicicleta en 40 mil pesos!
Agustín: ¡Dale! ¡No hay ninguna bicicleta que valga tanto!
Jonathan: ¡Te lo juro! Me la cambiaron por dos celulares
de 20 mil pesos.

Después de diez días, el caracol atravesó el patio
de la casa. Tardó cinco semanas más en recorrer la cocina,
otros diez días para pasar por el living y treinta días más
para llegar a la puerta de calle.

AGUSTÍN LE DICE AL PADRE:

-Tengo el presentimiento de que nos va a llover adentro del living.
-¿Por qué?
-Porque acabo de derrumbar el techo de un pelotazo.

Eran tantos en esa familia...
que los licuados los tenían que hacer
en el lavarropas.

La mamá pulpo le dice a su hijito:
-Nene, tomate de mi mano, de mi mano, de mi mano,
de mi mano, de mi mano, de mi mano...

Dos meses más tarde, la casa
se derrumbó. Desde la vereda
de enfrente el caracol suspiró y dijo:
-¡Puf! ¡Menos mal que me apuré!

-Papá, mi hermanita prendió la computadora...
-Déjala, hijo, que tu hermanita juegue un rato.
-Está bien, papá, pero cuando el fuego llegue a tu dormitorio, ¡es tu problema!

El abuelo le cuenta al nieto:
-Me compré un aparato para la sordera que es sensacional: ahora escucho todo.
-Qué bueno, abuelo... ¿y cuánto te costó?
-¡Las dos y cuarto!

Enseñanza para tu vida

SI ESTUDIAR
DA FRUTOS,
¡QUE ESTUDIEN
LOS ÁRBOLES!

El abuelo le dice al nene:
-Tobías, ¿querés un billete nuevo de 2 pesos?
-Prefiero uno viejo de 50.

-Yo comí carne de vaca toda mi vida y me siento fuerte como un toro.
-Qué bárbaro: yo hace dos años que como pescado y todavía no aprendí a nadar.

(Si sobre este último chiste necesitás alguna explicación, envianos 8.000.000.000 de dólares a Avenida de Los Ladrones 493,45 y con gusto te la mandamos.)

¡aTO RRan Te!

Chistes para contar en fiestas donde todos tus parientes son unos PESADOS

Manolo y José serruchaban madera, uno en cada lado del serrucho. De pronto, Manolo empujó con fuerza la sierra y le cortó una oreja a José. Manolo encontró la oreja entre el aserrín pero José no la aceptó:
-¡Esa no es mi oreja! ¡La mía traía un lápiz!

-Mamá, ¿cómo nacen los bebés?

-Mirá, Juancito, primero sale la cabeza, después salen
 los brazos, después sale el cuerpito y al final, los pies.
 Y el niño responde: -¡Ahhh! ¿Y después lo arman?

-¡Socorro, no sé nadar, me ahogo!
-¡Haga como las ranas!
-Bueno... ¡Croac... croac... croac...!

Un perro le dice a otro:

-¡Guau!

El otro le responde:

-¡Guau, guau!

Entonces el primero se enoja y le dice:

-¡Vos siempre cambiando de tema!

Matías: Cuando sea grande voy a ser arquero de Brasil.

Francisco: ¡Pero si vos sos de Argentina!

Matías: Por eso, para dejarme hacer los goles...

Dos hombres del campo compran treinta chanchos
y uno le dice al otro:

–¿Dónde los metemos?

–En nuestra casa.

–¿Y el olor?

–No importa, hombre, ellos
 ya se van a acostumbrar.

-Estoy muy triste. Tuve que vender el diccionario que tanto quería.
-¿Y qué tal era?
-No te lo puedo decir. Ahora no tengo palabras para describirlo.

Una chica conoce a un chico y le dice:
-¡Qué lindo pelo tenés! ¿Cómo hacés
 para conservarlo tan bien?
-Lo guardo todas las noches en el cajón del placard.

-Abuela, ¿para qué te pintás tanto la cara?
-Para estar más linda.
-Ah... ¿y tarda mucho en hacer efecto?

-Mi tío se murió de cataratas.
-¿Lo operaron?
-No, ¡lo empujaron!

-Nene, ¿sabés cómo hago para llegar lo más rápido posible a la Casa de Gobierno?
-Sí, vaya por esta avenida pasando todos los semáforos en rojo.

-¿Qué sale de la cruza de un huevo con un perro?
-Una *huev-can*.

(No podés decir que este es un chiste viejo porque hace 320 años
no había *huev-can* que, en realidad, se escribe *web-cam*.)

Primer acto: una mona cruzando la calle.
Segundo acto: un camión se acerca a toda velocidad
hacia la mona.
Tercer acto: el camión atropella a la mona.
¿Cómo se llama la obra?
La mona lisa.

En el medio del bosque, un cazador le dice a otro:
-Pepe, seguís con la puntería baja.
-¿Por qué lo decís?
-Mirá, ahí viene tu perro con un pescado en la boca.

Manolo le dice a Pepe:
—Quería plantar un árbol y tuve que cavar tres pozos para enterrarlo.
—¿Tres? ¿Por qué?
—Los dos primeros no eran suficientemente profundos.

Primer acto: un pelo en un vaso de agua.
Segundo acto: el mismo pelo en un vaso de agua.
Tercer acto: el mismo pelo en un vaso de agua.
¿Cómo se llama la obra?
¡No me tomen el pelo!

Un nene entra en una juguetería y le dice al vendedor:
-¿Me da un juego de ingenio?
-Acá está: son 30 pesos.
-Bueno, ahora adivine en qué mano tengo la plata.

Médico: ¿Hizo lo que le dije?
Paciente: Sí, doctor, para dormir
conté 475.200 ovejas.
Médico: ¿Y se durmió?
Paciente: No, cuando terminé de
contarlas ¡era hora de levantarse!

(Este último es el peor y ya lo sabemos, creo que tardaremos hasta el año 2034 en poder crear algo tan horrible. El asunto es que si te has reído debés ir a un hospital rápidamente a que te internen por loco. Es un consejo sano.)

16

Chistes tan estúpidos que es imposible creer que a alguien se le haya ocurrido tanta pavada

-Papá, ¿qué árbol es ése?
-Un sauce llorón.
-¿Por qué? ¿Murió algún arbolito?

-¿Cómo fue la cosecha de trigo?
-Ni un grano.
-¿Hubo sequía?
-No, ¡plantamos maíz!

-El médico me recomendó unas pastillas para el dolor de pies.
-¿Te hicieron efecto?
-No. Me puse una en cada zapatilla pero el dolor no se me va.

Primer acto: un hombre pregunta en una mueblería: "¿Cuánto cuesta esa cama de madera?". Le responden: "200 dólares".
Segundo acto: el mismo hombre pregunta en una mueblería: "¿Cuánto cuesta esa cama de bronce?". Le responden: "300 dólares".
Tercer acto: el mismo hombre pregunta en una mueblería: "¿Cuánto cuesta esa cama de hierro?". Le responden: "1.000 dólares".
¿Cómo se llama la obra?
La más-cara de hierro.

Agustín le dice a Juancito:

-¿Sabés que las tortugas saben volar?

-¿En serio?

-Sí. Lo que pasa es que son tan lentas que no pueden despegar.

El lobo se había comido a la abuelita.

Caperucita entra a la casa y dice:

-Abuelita, qué ojos tan grandes tienes.

-Para verte mejor.

-Abuelita, qué orejas tan grandes tienes.

-Para escucharte mejor.

-Abuelita, qué boca tan grande tienes.

Y el lobo le dice:

-Cortala, nena. ¿A qué viniste? ¿A visitarme o a criticarme?

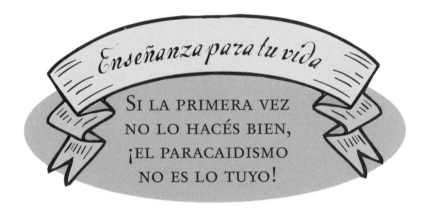

Enseñanza para tu vida

SI LA PRIMERA VEZ
NO LO HACÉS BIEN,
¡EL PARACAIDISMO
NO ES LO TUYO!

-Mamá, ¿qué hacés cocinando con las hornallas apagadas?

-Es que hoy estoy haciendo platos fríos.

(Este último es un gran chiste. Como dirían los rusos: *"ñieska vlodringaya búrin strandisvaya"*, frase que, como todo el mundo sabe, significa: *"ñieska vlodringaya búrin strandisvaya"*.)

Se encuentran dos amigos y uno le dice al otro:
-¿Sabías que el mes pasado me operaron de apendicitis?
-No, ¿qué tal te fue?
-La operación bien, pero adentro del cuerpo me dejaron
 una esponja.
-¿Y eso duele?
-No, pero... ¡me muero de sed!

Graffiti: "Yo no sufro de locura... ¡la disfruto a cada minuto!"

Una señora va a comprar un perro.
-Me gusta este perro,
pero sus patas son muy cortas.
-No crea, señora. Fíjese bien:
las cuatro patas le llegan al suelo.

CHISTES MÁS TONTOS QUE PEINARSE CON UN RASTRILLO

-Mozo, ¿me trae unas papas?
-¿Españolas o francesas?
-Cualquiera, ¡si total no voy a hablar con ellas!

Ringgggg... ring...
-Hola, ¿es el cuatro, nueve, cinco, dos, ocho, seis, siete, nueve?
-Sí, no, sí, no, no, sí, no...

-Señor, ¿este ómnibus me lleva al cementerio?
-Si te ponés adelante, ¡seguro!

En el supermercado, el guardia ve una nena caminando en cuatro patas:
-Querida, ¿por qué estás gateando entre las góndolas?
-Es que mi mamá me dijo que busque los precios más bajos.

-¡Mamá! ¿Qué hora es cuando el reloj da cinco campanadas?
-Las cinco, Santiago...
-¡Mamá! ¿Si da 12 campanadas?
-Son las doce, Santiago...
-¡Mamá! ¿Y si da 14 campanadas?
-Entonces, es hora de tirarlo a la basura.

-¡Mozo, tengo una mosca en el plato!
-Gracias por avisarme, no se la había cobrado.

Primer acto: un pelo está en la cama.
Segundo acto: el pelo sigue en la cama.
Tercer acto: el pelo está todavía en la cama.
¿Cómo se llama la obra?
El vello durmiente.

-Mi hermano fuma como un murciélago.
-¿Mucho?
-No, cabeza abajo, colgado del techo.

-Mozo, ¿la leche es fresca?
-Cómo será de fresca que hace media hora era pasto.

-Doctor, me siento mal.
-¿Le duele algo?
-No, me siento mal porque una pata de mi silla
 es más corta.

Caso de la vida real: era un niño tan feo, pero tan feo...
que cuando jugaba a la escondida ¡nadie lo buscaba!

Primer acto: una señora llamada Chichita.
Segundo acto: Chichita va a la ciudad de Viena.
Tercer acto: Chichita es echada de la ciudad de Viena.
¿Cómo se llama la obra?
Salchichita de Viena.

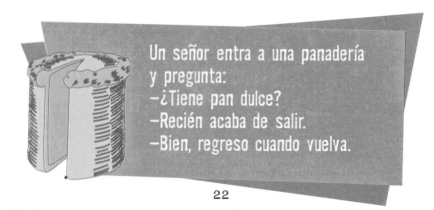

Un señor entra a una panadería
y pregunta:
-¿Tiene pan dulce?
-Recién acaba de salir.
-Bien, regreso cuando vuelva.

—Doctor, ¡tengo un complejo de superioridad!

—No se preocupe, amigo, yo lo voy a curar...

—Pero qué me vas a curar vos, ¡sálame!

(Te advertimos que si vas a contar estos chistes en la cena o en el almuerzo con amigos y parientes, primero comas bien, porque si los contás antes de empezar a comer, te arrojarán por la ventana y te quedarás dolorido y con hambre.)

Chistes más estúpidos que poner en tu teléfono un ring-tone de un chancho maullando

-¿Sabés adónde van las hormigas después del jardín?
-No.
-¡A la primaria!

-Papá, ¡pasó algo espectacular! ¡La gata tuvo gatitos!
-¿Qué tiene eso de espectacular? Es normal que tenga gatitos.
-Sí, papá, pero ¿treinta y cinco?

Dos nenes juegan al básquet.
Uno le dice al otro:
-¡Estoy para la NBA!
-Yo creo que estás para la NVU.
-¿NVU?
-Sí: ¡No Ves Una!

Primer acto: un perro muerde a un hombre.
Segundo acto: el mismo perro vuelve a morder al mismo hombre.
Tercer acto: el mismo perro vuelve a morder al mismo hombre.
¿Cómo se llama la obra?
Remordimiento.

-Doctor, doctor, mi esposa cree que es una heladera.
-No se preocupe. Ya se le pasará.
-Sí, pero yo no puedo descansar, porque ella duerme
con la boca abierta ¡y la luz me da en la cara!

-Mamá, felicitame: hoy ahorré 80 centavos,
porque me vine corriendo detrás del colectivo.
-¡Bobo! -responde la madre-. Te hubieras venido corriendo
detrás de un taxi y te ahorrabas 20 pesos.

-Papá, ¿dónde está el Aconcagua?
-No sé, preguntale a tu mamá, que es la que guarda todo.

Llamado telefónico:
-Hola, ¿está José María?
-No, está María José.
-¡Qué estúpido!
¡Agarré el teléfono al revés!

-Papá, hoy en la práctica de fútbol,
el entrenador me dijo que yo era
promesa de gol.
-¡Qué bien! ¿Jugaste de delantero?
-No, de arquero...

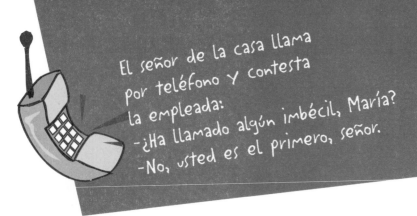

El señor de la casa llama
por teléfono y contesta
la empleada:
-¿Ha llamado algún imbécil, María?
-No, usted es el primero, señor.

En el restaurante:
-¡Mozo, el pollo está crudo!
-¿Cómo lo sabe, si no lo ha probado?
-¡Es que se está comiendo mi ensalada!

La mamá le dice al hijo:
-Agustín, debés tomar estas vitaminas,
 así serás tan fuerte como papá...
-Pero mamá, ¿por qué tengo que ser como papá
 si la que manda en esta casa sos vos?

-Doctor, creo que necesito vitaminas A y B.
-Usted está tan enfermo
 que le voy a recetar todo el abecedario.

-Doctor,
un camello
me dio una patada.
-¿Dónde?
-En el desierto.

¡CUÁC!

De aquí hasta el Desierto de Mojave

Un gato persigue a dos ratones. Uno de los ratones
se para y grita:
-¡Guau!, ¡guau! -Y entonces el gato se escapa corriendo.
El ratón le dice al otro:
-¿Te das cuenta qué importante es saber idiomas?

Un nene a otro:
-Menos mal que no nací en Japón.
-¿Por qué?
-¡Porque no sé nada de japonés!

El dentista le dice al nene:
-¿Querés que te duerma las muelas?
-¡Ni loco! ¿Qué hago
si no se despiertan para la cena?

-Julián, ¿a vos te gusta
la pintura?
-Sí, pero más de
un tarro me cae mal.

(Si descubrís cuál de todos estos chistes viejos es el más viejo de todos,
participás de un concurso por un viaje en una máquina del tiempo para ir a ver
a Nerón quemando Roma, con todos los gastos pagos.)

CHISTES TAN ESTÚPIDOS
QUE NO SE PUEDE CREER
CÓMO UN ESTÚPIDO
PUEDA ESCRIBIR
ESTOS CHISTES TAN ESTÚPIDOS

Un señor camina en cuatro patas por la vereda.
Una señora se acerca y le pregunta:
-Señor, ¿perdió algo?
-Sí, ¡el equilibrio!

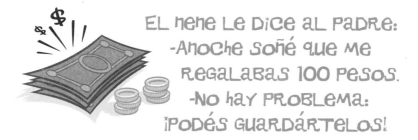

EL nene le dice al padre:
-Anoche soñé que me
regalabas 100 pesos.
-No hay problema:
¡podés guardártelos!

-Mamá, ¡el pan está blando!
-¡Decile que se calle!

-Mozo, ¿tiene algo para comer?
-Sí, la boca.

–¿Viste el mago que hacía el truco de cortar
a la chica en tres pedazos?
–Sí.
–El mago se enojó con la chica y la echó.
–¿Y qué pasó con la chica?
–Ahora vive en París, Roma y Nueva York.

Un señor llama al aeropuerto.
-Señorita, ¿cuánto tarda el avión de Buenos Aires a Nueva York?
-Un segundo...
-¡Guau! ¡No sabía que había aviones tan rápidos!

Dice el hermano mayor:
-Me encanta mi hermanito bebé cuando lo tengo en brazos, se hace encima y se pone a llorar como un loco.
-¿Por qué?
-¡Porque enseguida viene alguien y se lo lleva!

Observación: es una mujer tan fea, que cuando se desviste ¡los vecinos cierran las cortinas!

-Doctor, ¡no estoy bien! ¡Escucho voces!
-Es grave, ¿y cuándo escucha esas voces?
-Cuando atiendo el celular.

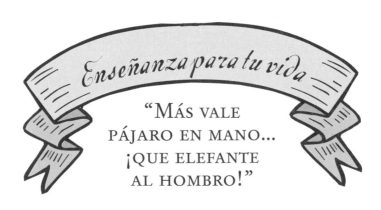

Enseñanza para tu vida

"Más vale
pájaro en mano...
¡que elefante
al hombro!"

Un chico se encuentra con su amigo y le dice:
-Nahuel, ¿sabés que se me durmieron las nalgas?
-Ah, con razón hace rato que las escucho roncar.

Otra observación:
era un chofer tan malo,
que se fue a manejar
una estancia
¡y la estrelló!

–Hola, ¿con el auxilio mecánico?
¡Necesito una grúa urgente!
–Cómo no. ¿Dónde está
estacionado su auto?
¡Arriba de mi pierna derecha!

–Papi, ¿me hacés un favor?
–Claro, Tobías.
–¿Me cambiás este billete de 100 por tres de 50?
–Por dos, querrás decir...
–¿Y entonces cuál es el favor?

–Mi primo es un caso perdido.
–¿Está loco?
–No, es un caso perdido. Sale de su casa y no sabe
 cómo volver.

–Por favor, un peso para este pobre ciego.
–Pero si usted no es ciego, ¡es tuerto!
–¡Entonces déme 50 centavos!

Un loco va con su auto de contramano por
una autopista. Un policía lo para y le dice:
–¿No vio la flecha?
–¿Qué flecha? ¡Si ni siquiera vi a los indios!

-Hola,
¿con el cuartel
de bomberos?
-Sí.
-Se me incendia la casa:
¿vienen o voy?
-¿Cómo si vamos o viene?
-¡Es que tengo una casa rodante!

Pepe estaba contento. Le dice a su amigo:
-Hombre, estoy orgulloso de mí mismo. Acabo de armar
un rompecabezas en sólo 7 meses.
-¿Te parece poco tiempo?
-Es que en la caja decía: "de 3 a 6 años".

Primer acto: un elefante tocando en una banda de rock.
Segundo acto: un elefante y un hipopótamo tocando
en una banda de rock.
Tercer acto: un elefante, un hipopótamo
y un rinoceronte tocando en una banda de rock.
¿Cómo se llama la obra?
Rock pesado.

(Si necesitás que te expliquemos algún chiste escribinos a nuestro email.
Verás que nosotros tampoco los hemos podido entender.)

ChiSTES Tan BUeNoS, PeRO Tan BUeNoS... que Si no Te ReÍS, SoS una MOMia

En pleno vuelo, el piloto les dice a sus pasajeros:
-Los del lado derecho, por favor, saquen su mano
  por la ventana.
Después dice:
-Pasajeros del lado izquierdo,
  favor de sacar la mano por la ventana.
Todo el mundo se pregunta qué pasa,
cuando de repente el piloto dice:
-¡Aleteen todos juntos
  que se nos cae el avión!

-Mamá... papá se cayó por la escalera.
   -¡Uy! ¿Se lastimó?
      -No sé, seguía cayendo
    cuando yo vine a verte.

Un ciempiés anda paseando
cuando ve que se aproxima
una gallina, que se lo quiere
comer. Corre desesperado
hasta su casa, y le grita
a su mamá:
-¡Mamá, abrime la puerta
porque la gallina me quiere
comer!
Y la mamá responde:
-Ahora voy, hijito, ¡esperá que me pongo
las zapatillas!

COSA
DE LOCOS:
Era un tipo tan
bruto, que como no
tenía espejo... ¡Se
afeitaba frente a
su foto!

Había una vez un niño tan peludo,
que la gente le preguntaba a su mamá:
-Disculpe, señora, a su hijo ¿usted lo tuvo
o lo tejió?

-Escúcheme atentamente, señor: quiero decirle que yo estoy
enamorado de su hija y no por su dinero.
El hombre le responde:
-¡Qué bien! ¿De cuál de mis cuatro hijas estás enamorado?
-¡Ah, de cualquiera, de cualquiera!

Un turista le pregunta al guardabosques:
-¿Se cae seguido la gente por este precipicio?
-No, con caerse sólo una vez les alcanza...

Un general le pregunta al soldado:
-Soldado, ¿en cuántas partes se divide el fusil?
-En dos, mi general: en fu y en sil.

–DOCTOR, DOCTOR,
¡CUANDO TOMO CAFÉ NO DUERMO!
–QUÉ CURIOSO, A MÍ ME PASA
JUSTO LO CONTRARIO:
¡CUANDO DUERMO, NO TOMO CAFÉ!

Dos mercados estaban volando y uno le dice al otro:
-¿Por qué estamos volando?
-Debe ser porque somos supermercados.

Caso increíble (y no lo verás en televisión pero sí está
en este libro): es tan, pero tan bajito, que cuando llueve...
¡es el último en enterarse!

Julián y Agustín fueron a pasar el día al campo. Iban
caminando tranquilamente cuando de pronto, se dieron
cuenta de que un toro enorme iba corriendo hacia ellos.
–¡Cuidado! –alcanzó a decir Julián. Y se trepó a un gran
árbol.
Mientras tanto, Agustín se metió en un pozo.
El toro, que venía corriendo, pasó de largo, saltando
por arriba del pozo. Entonces Agustín salió. Pero cuando
el toro dio la vuelta y lo vio, empezó a correr otra vez
hacia el niño. Agustín se metió otra vez en el pozo,
burlando al animal, que volvió a pasar de largo.
–¡No seas estúpido! –gritó Julián desde arriba del árbol-.
¡Quedate en el pozo!
–¡Estúpido sos vos! ¡Esta es una cueva de zorrinos!

Va un hombre a buscar empleo y le dicen:
-Si empieza hoy le pagaremos 800 pesos,
 pero más adelante usted cobrará 2000 pesos.
Y el hombre contesta:
-Entonces vengo más adelante...

—¿Qué es algo blanco-negro, blanco-negro, blanco-negro, blanco-negro, rojo?
—No sé.
—Un pingüino cayéndose por las escaleras.

Primer acto: pasa un señor caminando y le caen 100 kilos de papas en la cabeza.

Segundo acto: el mismo señor pasa y le caen 1.000 kilos de papas en la cabeza.

Tercer acto: el mismo señor pasa y le caen 10.000 kilos de papas en la cabeza.

¿Cómo se llama la obra?

Lluvia. ¿Sabés por qué? ¡Porque murió *empapado*! (¡Empapado! ¿Entendés?)

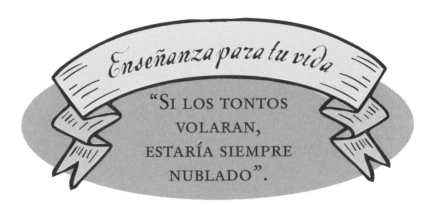

Enseñanza para tu vida

"SI LOS TONTOS VOLARAN, ESTARÍA SIEMPRE NUBLADO".

(Si tenés alguna queja con algún chiste, podés llamarnos al 3488-49584839-0098-40504094-499390-0549400011, de 12.00 a 12.03 horas los días miércoles que terminen en número 4. Estamos a tu disposición. El 30 de febrero atendemos las 24 horas.)

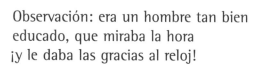

-Manolo, ¿dónde has ganado esa copa?
-En un concurso de matemática.
-¿Cómo hiciste?
-Nos preguntaron cuánto
es 7 más 7, dije 12,
¡y quedé tercero!

Observación: era un hombre tan bien
educado, que miraba la hora
¡y le daba las gracias al reloj!

-¡Mamá! Dice papá que si vuelvo
a decir una mentira me va a pegar.
-¡Entonces no le digas papá!

Primer acto: un señor subiendo
una heladera por una escalera.
Segundo acto: el mismo señor
subiendo un freezer.
Tercer acto: el mismo señor subiendo
otra heladera.
¿Cómo se llama la obra?
Escalo-fríos.

Tremendo: era tan gorda... que cuando
se casó, no se casó de largo, sino de ancho.

-Mamá, en el colegio nadie quiere hablar conmigo...
¿Mamá? ¿Adónde vas? ¡Mamá, volvé, mamááááá!

Un hombre tira su caña al río en un lugar donde
hay un cartel que claramente dice "Prohibido pescar".
Justo en el momento en que un pez muerde
el anzuelo, aparece el guardián que le pregunta:
-¿Qué está haciendo?
-Nada, señor, nada.
-¿Y ese pececito que cuelga del anzuelo? ¿Qué es?
-Es que... lo coloqué allí para enseñarle a nadar...

Consejo para tu vida: evitá los accidentes
automovilísticos en las calles.
¡Conducí por la vereda!

Refrán estúpido: "*No por mucho madrugar,
se ven vacas en camisón*".

¡Atención! En caso de emergencia, seguí leyendo...
¡Dije que sólo en caso de emergencia, tonto!

Graffiti:
"Encontrá la paz...
en Bolivia."

Enseñanza para tu vida

"EL QUE TIENE PLATA
SE COMPRA UN PERRO.
EL QUE NO, APRENDE
A LADRAR."

Carlos ha invitado a Juan a comer en su casa.
Mientras comen, el perro de Carlos se pone a gruñir.
-¿Qué le pasa? -pregunta Juan asustado.
-¡Bah! No le hagas caso. Está celoso porque te di
de comer a vos en su plato.

Un hombre le dice a un abogado:
-Señor abogado, le ruego que acepte usted mi defensa.
-¿Tiene usted dinero?
-No, pero tengo un coche.
-¿De qué se lo acusa?
-¡De robar un coche!

-¿Me da un kilo de pan?
-Tendrá que ser duro.
El tipo se pone a gritar y dice:
-¡¡Dame un kilo de pan o te reviento!!

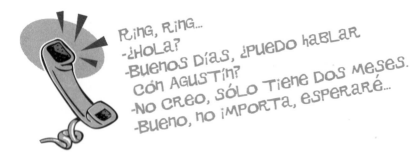

Ring, Ring...
-¿Hola?
-Buenos días, ¿puedo hablar
con Agustín?
-No creo, sólo tiene dos meses.
-Bueno, no importa, esperaré...

Van dos ratas por una alcantarilla y una de ellas levanta
la cabeza, ve un murciélago y, señalándolo, le dice
a la otra rata:
-Mirá, ahí va mi novio.
-Hija, es un poco feo el pobre.
-Sí, bueno... ¡pero es piloto!

Un loco va corriendo por los pasillos del manicomio
haciendo el ruido de una moto.
Un día, el director del centro comenta a sus ayudantes:
-No podemos seguir así. Tenemos que trasladar a este
 paciente.
-Pero si no hace tanto ruido -le responden.
-No, ¡pero lo que a mí me molesta es el humo!

Para que lo pienses, si es que te da la cabeza para pensar:
"Puede que vivir en la Tierra sea caro, ¡pero incluye un
viaje gratis alrededor del Sol todos los años!"

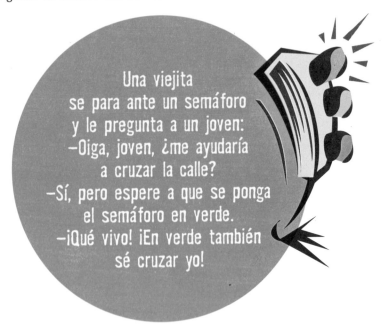

Una viejita
se para ante un semáforo
y le pregunta a un joven:
—Oiga, joven, ¿me ayudaría
a cruzar la calle?
—Sí, pero espere a que se ponga
el semáforo en verde.
—¡Qué vivo! ¡En verde también
sé cruzar yo!

Durante un juicio:
—¿Que hacía la noche del crimen?
—Estaba durmiendo, señor juez.
—¿Puede probarlo?
—Claro, ¡tráigame una cama!

Tremendo: existe un hombre tan alto, que para mirarlo de la cabeza a los pies ¡hay que descansar en el ombligo!

No te rías, porque es un caso muy serio: era un chico tan feo, que cuando nació ¡los parientes lo acariciaban con una rama!

Observación importante: "Perro que ladra, ¡no es mudo!"

OTRA COSA DE LOCOS: era un señor tan, tan, tan, que se quedó de campana.

-Mamá, ¿me das 10 pesos?
-¿Ya te gastaste los que te di ayer?
-Se los di a una viejita...
-¿Y desde cuándo te interesás por las viejitas?
-¡Desde que venden helados!

Luciano volvió contento a su casa después de su clase de natación:
-Papá, ¡qué lindo es tirarse del trampolín!
-Pero no es la primera vez que te tirás...
-Sí, papá... Es la primera vez.
-Pero la semana pasada me dijiste que ya lo habías hecho.
-No, viejo. La semana pasada no me tiré.
  Me agarraron entre cuatro y me tiraron.

El hombre descansaba
en una cama tan angostita,
que su Ángel de la Guarda
tenía que dormir en el suelo.

-Mozo, ¡hay una mosca ahogándose en mi sopa!
-¿Y qué quiere que haga? ¿Que le tire un salvavidas?

SÚPER RECONTRAMIL ¡CUÁC!

Cosa de locos: era una mujer tan exagerada,
que una vez se le quemó el arroz y llamó a los bomberos.

-Antes de que el verdugo ejecute la sentencia,
 usted puede pedir su último deseo.
-Bien... ¡deseo que se muera el verdugo!

Tremendo: hay un chico tan bizco, que cuando
llora ¡las lágrimas le corren por la nuca!

-Doctor, llevo dos semanas sin comer ni dormir.
 ¿Qué cree usted que tengo?
-¡Hambre y sueño!

Un hijo desesperado le grita a su padre:
-¡Papáaaaaaaaaaa! ¡Me traguéeeeeeeeee
 un megáfonooooooooo!

(Tratá de estar en buen estado físico
cuando cuentes estos chistes,
para salir corriendo y que no te agarren
para ahorcarte. Quedás avisado.)

44

CHISTES MÁGICOS

(Estos chistes son mágicos porque son tan malos
que una vez que los cuentes... ¡toda la gente
a tu alrededor desaparecerá!)

-Lucila, ¿le cambiaste el agua a los peces?
-¿Para qué? Si todavía no se tomaron la que les puse
 la semana pasada.

-Papi, esta tarde te vinieron a buscar como mil cobradores.
-¡Te dije más de un millón quinientas setenta
 y nueve mil veces que no seas tan exagerado!

Ring, ring...
—Hola, ¿ahí es donde lavan la ropa?
—No, aquí no lavamos ropa.
—¡Entonces ustedes son muy SUCIOS!

—Papi, papi, ¿estás a favor del desarme?
—Claro, hijo.
—¡Qué bueno, porque desarmé tu computadora!

Era un hombre tan chiquito, pero tan chiquito,
que pasó por delante de una rotisería,
se le hizo agua la boca, ¡y se ahogó!

—¡Samuelito! ¿Cómo podés ser tan malo? ¡No le tires
la cola al gato!
—Pero si es él el que tira... Yo solamente se la sostengo...

—Papá, ¿los alfajores tienen hilo?
—No, hijo.
—¡Ah! Entonces me comí un yo-yo.

La maestra estaba explicando los tiempos de los verbos.
—Chicos, si yo digo "era hermosa" es tiempo pasado,
y si digo "soy hermosa", ¿qué es?
—Una mentira, señorita.

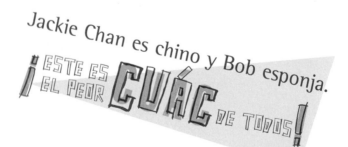

Jackie Chan es chino y Bob esponja.
¡ESTE ES EL PEOR CUAC DE TODOS!

Barney hizo *cof, cof* y Pic ¡achú!

-Doctor, en la sala de espera está el hombre invisible.
-¡Qué pena! Dígale que hoy... no puedo verlo.

Un chico le dice a una mujer:
-Señora, ¿usted le tiene miedo al ridículo?
-No, ¿por qué?
-Porque ahí viene el ridículo de su marido.

En el tribunal, el juez le pregunta a un acusado de haber
cometido varios robos:
-Pero usted, cuando robaba, ¿no pensaba en sus padres?
-Sí, claro, ¡pero nunca les gustaba nada de lo que les llevaba!

Un señor le dice a un niño: "Si adivinás
cuántas gallinas tengo, te doy las tres".

-Mami, ¿es cierto que comer
 una manzana por día aleja al doctor?
-Así es.
-Entonces dame una manzana porque
 acabo de romper la ventana
 de su consultorio de un pelotazo.

Santiago le pregunta a su amiguita:
-Florencia, estoy enamorado de vos. ¿Qué te parece
  si cuando seamos grandes nos casamos?
-Me parece que no voy a poder. En mi familia nos
  casamos entre nosotros: mi abuela con mi abuelo,
  mi mamá con mi papá...

Un hombre entra en un almacén. Lo atiende el dueño.
-¿Qué desea, señor?
-Un kilo de azúcar.
-No tengo.
-¿Café?
-No tengo.
-¿Pan?
-No tengo.
-Si no tiene nada, ¿por qué no cierra?
-¡Porque no tengo candado!

El papá le dice al hijo:
-Agustín, ¿por qué corrés tan rápido?
-Porque no quiero que se peleen dos chicos.
-¿Qué chicos?
-El vecinito y yo.

Un náufrago llega a una isla y encuentra
a un hombre. El náufrago le pregunta:
-¿Hay caníbales en esta isla?
-Ninguno: a los tres últimos me los acabo
  de comer yo.

Chistes para hacerte el payaso en fiestas absolutamente aburridas

...Y donde, para peor, los amarretes de tus tíos no te hicieron ningún regalo

Josefina entró a la habitación y le dijo
a su hermanito:
-¿Qué hacés sentado en la cama con una caña?
-¡Estoy tratando de pescar el sueño!

-Viejo, el nene se tragó una moneda.
-No importa, cuando sea grande y trabaje,
 se la descontamos.

-Mamá, ¿es verdad que descendemos de los monos?
-No sé, hija... ¡tu padre nunca quiso presentarme
 a su familia!

Ese chico era tan feo, que a los dos meses de nacido
aprendió a caminar porque nadie le hacía upa.

Insólito: es un hombre tan alto... ¡que tiene una nube en el ojo!

-¡Mamáááá!
-¿Qué, hijo?
-Papá se volvió loco... ¡Y está tirando todo por
la ventanaaaaaaaaaa!

Una madre le comenta a su hija:
-¿Sabés que anoche, frente a uno de nuestros portones,
había una pareja besándose dentro del auto?
¡Qué atrevidos!
-¡No me digas que vos eras la de la linternita!

En la oficina:
-¡Señor Pérez! ¿No sabe que
está prohibido chatear durante
las horas de trabajo?
-No se preocupe, jefe,
¡no estoy trabajando!

Primer acto: la señora Rita agarra un balde con agua
y se lo tira a una amiga.
Segundo acto: la señora Rita agarra un balde con agua
y se lo tira a su esposo.
Tercer acto: la señora Rita agarra un balde con agua
y se lo tira al vecino.
¿Cómo se llama la obra?
Mojarrita.

-¡Sargento, cúbrame con sus soldados!
-¿Es para atacar, mi general?
-No, ¡es porque quiero cambiarme los pantalones!

-Mamá, ¡qué rico está el guiso!
-Entonces repetí, hijo, repetí.
-Mamá, ¡qué rico está el guiso!

-Señora, ¿Tiene
caramelos sueltos?
-Sí, querido.
-Bueno, ¡átelos
para que no se le escapen!

Había un ciempiés caminando por el bosque.
Como estaba distraído, no vio una ramita y se tropezó,
se tropezó, se tropezó, se tropezó, se tropezó...

En un museo, el guía se dirige a los turistas:
-Bueno, y acá tenemos el esqueleto de un Tiranosaurus Rex
 que tiene aproximadamente 65 millones de años... y 15 días.
Un turista, sorprendido, pregunta:
-¿Cómo sabe usted la edad con tanta precisión?
-Cuando entré a trabajar me dijeron que tenía 65 millones
 de años, y ya hace 15 días que trabajo aquí.

Observación: tiene la frente tan arrugada
que no se pone el sombrero... ¡se lo enrosca!

Un tomatito y una tomatita iban caminando por la calle.
Venía pasando un carro y atropelló al tomatito.
La tomatita le preguntó:
-¿Qué te hicieron?
Y el tomatito respondió:
-¡Ketchup!

Papá piojo y su hijito piojo están paseando
por la cabeza de un pelado.
El padre le dice a su hijo:
-Hijo mío, cuando yo era joven,
 esto era un hermoso bosque.

Caso que todavía se sigue investigando: era un hombre
tan alto, que se tomó un yogur y cuando le llegó
al estómago, ya estaba vencido.

La madre
le pregunta a su hijo:
-¿Dónde está la torta que dejé acá?
-Se la di a un niño que tenía hambre.
-Muy bien, ¿y quién era ese niño?
-¡Yo!

Una señora le dice a Samuelito:
—Supe que murió tu padre, lo siento mucho.
El niño le dice:
—Sí, "que descanse en pez".
—Samuelito, se dice "que descanse en paz".
—Pero ¡es que se lo tragó un tiburón!

Dos hermanos discuten a las 11 de la noche.
—Sos un cobarde —dice uno de ellos—. ¡Tenés miedo
   de subir solo las escaleras!
—¡Mentira! —dice el otro.
—¡Es verdad! ¡Tenés miedo de subir solo, tenés miedo
   de subir solo!
—¡No tengo miedo! ¡Vení, subí conmigo y vas a ver
   que no tengo nada de miedo!

El capitán ordena
a los marineros:
—¡Tiren las anclas!
Y los marineros le dicen:
—¡Pero, capitán, si son nuevas!

La maestra les pide a los alumnos que escriban un poema para el Día de la Madre. Apenas transcurridos unos minutos, Agustín levanta la mano:

—Ya terminé.

La maestra le dice:

—¿Tan rápido? Dejame ver... Pero Agustín, ¡este poema es el mismo del año pasado!

Y él responde:

—¡Y si mi mamá es la misma del año pasado!

Esto nunca lo leíste antes: había una mujer tan gorda, pero tan gorda, que cuando se pesaba, la balanza decía: "continuará..."

Increíble: había un hombre tan feo, pero tan feo, que cuando picaba cebolla... hacía llorar a la cebolla.

Más increíble: es un hombre tan flaco, pero tan flaco, que limpia mangueras por dentro.

-Papá, papá, ¿qué me vas
a regalar para Navidad?
-¿Qué te regalé el año pasado?
-Un globo.
-Bueno, este año te lo inflo...

-Mamá, la gente me llama cabezón.
-No hagas caso, hijito, y ahora subite al monte,
 que tenés que darle sombra al pueblo.

-Mamá, ¿es cierto que los peces grandes
 se comen las sardinas?
-Sí, Juan, es cierto.
-¿Y cómo hacen para abrir las latas?

-¡Katty, apurate que ya nos vamos!
-Esperá, mami, me voy a cambiar.
-Bueno, pero que te cambien por una menos fea.

Llega un vendedor a una casa, pero se detiene al ver
un perro. Le pregunta al chico que está sentado en la entrada:
-Nene, ¿muerde tu perro?
-No señor, no muerde: es muy mansito.
El perro se le lanza como un demonio y lo muerde,
rompiéndole el pantalón. Muy enojado, el hombre le grita
al niño:
-Pero nene, ¿no dijiste que no mordía tu perro?
-Es verdad señor, pero este no es mi perro... ¡yo vivo
 en la casa de al lado!

Un padre hablaba con su hijo y le decía:
-Los padres que no logran hacerse entender
 por sus hijos son unos tontos,
  ¿me entendés, hijo?
-¡No, papá!

En el Restaurante:
-Mozo, ¡hay una mosca en mi sopa!
-No se preocupe, señor:
la araña que está en su pan
se la va a comer.

CHISTES MENOS NABOS QUE LOS ANTERIORES PERO MÁS NABOS QUE LOS QUE VIENEN

Va un niño pequeño por la calle, perdido,
y se dirige a un guardia:
-Señor, ¿no habrá visto usted
a una señora sin un niño como yo?

-Doctor, me estoy quedando sordo. ¡No me oigo ni toser!
-Tome estas pastillas.
-¿Son para oír mejor?
-No, son para que tosa más fuerte.

-¿Cuál es el colmo de un petiso?
-Que un policía le diga ¡Alto!

-Mamá, ¿qué tenés en la panza?
-Un bebé que me regaló papá.
-¡Papáááá! ¡No le regales más bebés a mamá porque
se los come!

-¿Cuál es el colmo de una farmacia?
-Que la vendan porque no queda
 más remedio.

-Mamá, mamá, en el colegio
 me llaman hijo de vaca.
-Muuuurmuraciones hijo,
 muuuuuurmuraciones...

Donald usa teclado y Mickey... Mouse.

UN ¡CUÁC!
DE ACÁ HASTA
LA GALAXIA ORIÓN

-Mamá, ¿los sapos usan anteojos?
-No, hijito.
-Entonces... ¡la abuela se cayó en la zanja!

-Mamá, ¿puedo tirarme
un pedito como el de ayer?
-No, Julián, ¡esperá
que cicatricen los puntos!

(Este último chiste a tu madre le puede parecer
fuerte porque dice la palabra "pedito",
pero debés explicarle que el pedito es parte
de la vida de un niño normal como vos.)

Chistes más tontos que comerse un sandwich sin pan

El turista llama desde la habitación del hotel al conserje:
-¡Sobre mi cama hay dos ratas peleándose!
-Y por el precio que paga, ¿qué quiere?
 ¿Una corrida de toros?

-Mamá, me corté un dedo.
-Chupátelo.
-¡Es que no lo encuentro!

-¿Qué le dijo un pianista a otro?
-No sé.
-¡Por fin di en la tecla!

Se encuentran dos adivinas. Una le dice a la otra:
-¿Cómo te va?
-A vos bien, ¿y a mí?

Pepe se encuentra con Manolo, quien viene luciendo
un zapato marrón y otro negro. Pepe le dice:
-Qué zapatos más raros tienes.
-No tan raros: en mi casa tengo otro par igualito...

-¿Cuál es el colmo de una aspiradora?
-Tener alergia al polvo.

El padre le dice al hijo:
-No entiendo lo que pasó: los cohetes de las Fiestas
 no funcionaron.
-Qué raro -contesta Agustín-. Esta mañana los estuve
 probando y funcionaban todos.

Una turista pasa por la Aduana. El inspector
le pregunta:
-¿Qué lleva ahí?
-Tres docenas de huevos.
-Muy bien: ¡ábralos!

-Cachito, ¿qué vas a ser cuando seas grande?
-Cacho.

AGUSTíN LE DICE
a SU aMiGO JULian:
-Si Te queRés quedaR
a DORMiR eh Mi caSa
Te Tehés que haceR La caMa.
-No haY PROBLeMa.
-Bueho. Acá Tehés MaDeRaS,
eL MaRTiLLo
Y LOS CLaVoS.

–Papá: gané la Olimpíada Cultural.
–¡Qué bien! ¿Cómo hiciste?
–Levanté 10 diccionarios
yo solito.

Caso que te va a dejar con la boca abierta:
es tan alto que para bajar los cocos de una palmera
¡tiene que agacharse!

Un avión cae al mar y el capitán dice:
–Los que sepan nadar, al lado izquierdo. Los que
no sepan nadar, al lado derecho. Pasajeros del lado
izquierdo, favor de nadar hasta esa isla cercana.
Pasajeros del lado derecho... nuestra Línea Aérea
agradece su preferencia. ¡Gracias por volar con nosotros!

–Mami, Agustín rompió mi muñeca.
–¿Cómo hizo eso?
–Le golpeé la cabeza con ella.

Caso loco: es un hombre tan bajito,
¡que le lavan la ropa en una licuadora!

–Doctor, me duele cuando me toco
aquí y aquí y aquí... y aquí. ¿Qué tengo?
–El dedo roto.

—¡Agustín! ¿Cuántas veces tengo
que decirte que saques tus manos
de los sándwiches de miga?
—No me lo vas a tener que decir más:
¡me comí el último sándwich!

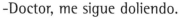

-Doctor, me sigue doliendo.
Y el doctor le responde:
-Doliendo, ¡no lo sigas!

Un chico está llorando en la vereda,
entonces se acerca un loco:
-¿Por qué llorás, nene? -pregunta el loco.
-Es que mi abuela se cayó de un quinto piso
y ahora está en el cielo.
-¡Caramba, cómo rebotó la vieja!

De la
vida real:
es tan alto...
¡que trabaja
como poste
de luz!

(ESTE ES UN
¡CUÁC!
DE ACÁ HASTA
LA SEGUNDA LUNA
DE SATURNO)

En el medio de la calle
un chico está llorando
y un señor le pregunta:
-¿Qué te pasa, nene?
-Es que me puse los
  pantalones al revés
  y ahora no sé si estoy
  yendo a la escuela
  o si estoy volviendo.

(Como ya has visto, al terminar
un capítulo siempre aparece
un mensaje así de chiquito.
Bien, en esta ocasión, el mensaje es...
¡que no hay mensaje! Mirá qué bromistas
que somos. Jajaja... Risa.)

El papá recibió una carta de la maestra en donde decía que Julián no andaba bien en la escuela. Luego de leerla, el padre le dijo al nene:
-Tu maestra me envió esta carta y la verdad es que no me gusta, nada, nada, nada...
-Yo le dije a la señorita que a vos no te iba a gustar, ¡pero ella te la quiso mandar igual!

Luciano estaba haciendo experimentos
con arañas, ya que quería observar
el comportamiento de los arácnidos
si se les cortaban sus ocho patas.
Tomó una araña, le sacó la primera pata y le dijo:
—¡Camina!
Y la araña caminó.
Luego le sacó la segunda pata y repitió la orden:
—¡Camina!
Y la araña caminó.
Cuando sólo le quedaba la última pata y se
tambaleaba para sostenerse, se la cortó y le gritó:
—¡Camina!
Y como la araña no caminó, Luciano dijo:
—¡Uy, se quedó sorda!

Era un padre tan despreocupado, que aprovechó
el incendio de su casa para asar unos chorizos.

Caso rarísimo: existe un hombre
tan delgado, que para hacer sombra tiene
que pasar dos veces por el mismo lugar.

Un señor se sube al colectivo y le pregunta al chofer:
-Señor, ¿hasta dónde llega este colectivo?
-¡Hasta la parte de atrás!

Un hombre entra a una ferretería y le pregunta
al vendedor:
-Señor, ¿tiene un serrucho?
-No, no tengo.
-¿Y sierra?
-A las 9 de la noche.

Hablan dos mamás:
-Lo que hizo mi hijo no tiene nombre.
-¿Qué hizo?
-No te lo puedo decir... ¿No te dije que no tiene nombre?

Un nene le dice
a una nena:

-Dolores, ¿querés ser mi novia?
-¡Ni loca!
-Qué suerte que me
lo dijiste antes
de casarnos.

-Mami, ya sé qué te voy
a regalar para tu cumpleaños.
-¿Qué?
-Una linda cafetera.
-Pero si ya tengo una cafetera.
-Tenías... ¡Se me cayó
y se hizo pedacitos!

Un hombre le apunta con los dedos a un pato que anda
revoloteando y le hace ¡pum! con la boca.
El pato cae fulminado.
El hombre, sorprendido, se acerca al pato.
El animal reacciona y le dice:
-Tonto, ¡qué susto me diste!

-¿Vos sos
supersticioso?
-No.
-Entonces
prestame 13 pesos.

Julián le dice a su tío:
-Gracias, tío querido,
  por haberme regalado la trompeta para Navidad.
-Bueno, de nada. Tampoco es para tanto...
-Sí, desde que la tengo, papá me da un peso todos los
  días para que no toque.

Un chico estaba llorando en la calle.

Se acerca una persona mayor:

-¿Por qué llorás, nene?

-¡Porque perdí una moneda de un peso en la alcantarilla!

El señor saca una moneda y se la da:

-Tomá, un peso.

El nene toma la moneda y se pone a llorar de nuevo.

El señor le pregunta:

-¿Y ahora qué te pasa?

-¡Es que podría haber dicho que había perdido 100 pesos!

A las seis y media de la mañana, Luciano entra al dormitorio de sus papás. Mientras la tironea de un brazo, le dice a su mamá, que está durmiendo:

-Mami, es la hora.

-¿Hora de qué?

-Hora de despertar a papá para que vaya a despertarme.

Dos chicos hablaban:
—Para que sepas, en una época mi papá fue un gran
cazador. Un día estaba en la India, se le apareció
un gran tigre ¡y no se le movió ni un solo pelo!
—¡Y claro! ¡Si tu papá es pelado!

—Mamá, ¿viste ese **florero** tuyo
que fue pasando de generación
en **generación**?
—**Sí.**
—Bueno, mi generación lo **rompió**
de un **pelotazo**.

En la peluquería:
—¿Cuánto me cuesta el corte el cabello?
—15 pesos.
—¿Y afeitarme?
—10 pesos.
—Muy bien: ¡aféiteme la cabeza!

—Mamá, ¿puedo agarrar dos pedazos de torta?
—Sí, mi amor: tomá este pedazo de torta
y cortalo en dos.

-Mi mamá y mi papá son muy gordos.
-¿Tanto?
-Con decirte que cuando se casaron, como no entraban
 juntos, cada uno lo hizo en una iglesia distinta.

El policía le pregunta al automovilista:
-¿Qué hace parado ante el semáforo desde hace dos horas?
-Estoy esperando que ponga una luz que me guste.

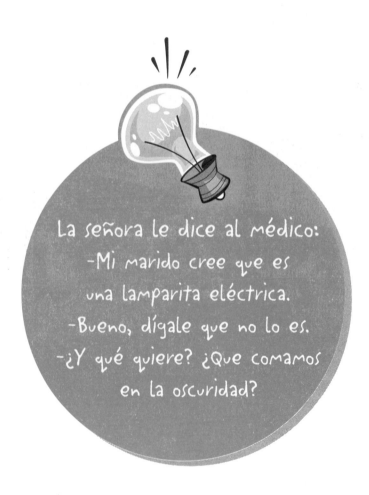

La señora le dice al médico:
-Mi marido cree que es
una lamparita eléctrica.
-Bueno, dígale que no lo es.
-¿Y qué quiere? ¿Que comamos
en la oscuridad?

Una **viejita** está afuera de una casa queriendo tocar
el timbre, pero no lo puede tocar porque no alcanza.

De repente pasa un señor y muy amablemente se ofrece:

—Señora, buenos días, ¿en qué puedo **ayudarla?**

—Por faaavoorr, jooven, aayúdeme a tocarr el **timbree.**

—Con mucho gusto, señora... Ya toqué,
   y ¿ahora **qué** hacemos?

La viejita le responde:

—¡Raaajemooos!

**Y este es más loco todavía:
había un chico que tenía la boca tan grande,
¡que el jarabe se lo daban con una pala!**

-¿Cuál es la diferencia entre una barra de chocolate
y un submarino?
-No sé.
-Entonces, tené cuidado con lo que comés.

-Mi tío tenía una lora que ponía huevos
cuadrados.
-¿Y hablaba?
-No, cada vez que ponía un huevo lo único
que decía era: "¡Ayyyyyyyyyyyyyyyyy!"

-Mozo, ¡hay una cucaracha muerta en mi ensalada!
Quiero que venga el encargado.
-Eso no servirá de nada, señor: ¡el encargado también
les tiene asco a las cucarachas!

CHiSTES MÁS TERRIBLES que aGaRRaRSELOS DEDOS CON uNa PueRTa EMPUJaDa POR OCHO RiNOCERONTES

(Ánimo, el libro está terminando y ya se acaban todos estos chistes
estúpidos. Ahora, si sos de aquellos que leen un libro
de atrás para adelante... ¡Ja! ¡No sabés las pavadas que te quedan por leer.)

-Estoy contento de que mis padres me hayan puesto
 de nombre Julián.
-¿Por?
-Porque justo toda la gente me llama así.

Dos madres hablan en la puerta del colegio:
-Mi hijo toca el piano de oído.
-¡Qué casualidad! El mío lo escucha de la misma
 manera.

-Mamá...
-¿Qué, hijo?
-Cuando me crezcan los dedos, ¿los puedo volver
 a meter en el ventilador?

-¿Mozo? ¿Qué es esto? ¡Hay un pelo en mi sopa!
-Claro, señor, es un cabello de Ángel.
-¿De Ángel?
-Sí, de Ángel, el cocinero.

-Mozo, tráigame un café sin leche.
-Lo siento, señor, no tenemos leche, ¿qué le parece
 un café sin crema?

Julián le dice a Agustín:
-Imaginate que estás en una isla desierta, rodeado
 de monstruos... ¿Qué hacés?
-¡Dejo de imaginar!

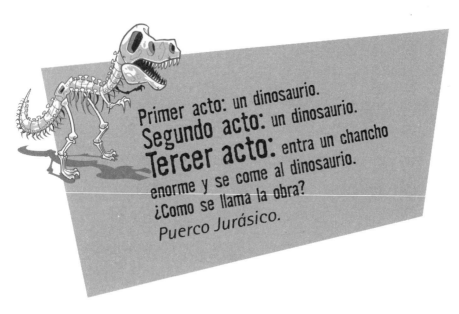

Primer acto: un dinosaurio.
Segundo acto: un dinosaurio.
Tercer acto: entra un chancho enorme y se come al dinosaurio.
¿Como se llama la obra?
Puerco Jurásico.

-Oye, Manolo, te invito a una fiesta de 15 años.
-Bueno, pero yo a los tres meses me vuelvo.

Nahuel le dice a su abuela:
-Abu, ¡me duele la panza!
-Andá al baño.
-¡Es que en el baño también me duele!

Un hombre va a comprar a la perfumería:
-Necesito un champú.
-¿Para qué tipo de cabello?
-Y... para cabello sucio.

Había una vez un bebé tan feo, pero tan feo,
pero tan feo, ¡que su incubadora
tenía vidrios polarizados!

Un gusano ve una fila de caracoles y le comenta
a su amigo:
-¡Cuántas casas rodantes hay este año!

Un ladrón le dice a un señor:
-¡Arriba las manos!
-¿Me está asaltando?
-No, ¡si le voy a estar poniendo desodorante!

En el consultorio del médico:
-¡Mi hijo tiene una fiebre que vuela!
-Bueno, no es para tanto.
-¿Ah, no? Usted porque no tiene que limpiarle la jaulita
 y darle alpiste para comer.

Un pececito le dice a otro:
-¿Tu papá qué hace?
-Nada...

-Mamá, ¡el bebé se está comiendo el diario!
-No importa: es el diario de ayer.

La mamá le grita a Julián:
-¡Te comiste todos los panqueques! ¿No pensaste
 en tus hermanos?
-¡Claro que pensé! -responde Julián-. Pensé todo
 el tiempo: "¡ojalá que no vengan, ojalá que no vengan!".

Certificado final

Todo niño que haya leído este libro
es desde ahora más inteligente,
más simpático, más maravilloso,
más divino, más querido. El asunto
es ahora convencerlos a los demás.

¡CUÁC!

¡TU OPINIÓN ES IMPORTANTE!

Pueden escribir sobre qué les pareció
este libro o contarnos atorranteadas a:
atorrantes@libroregalo.com